Ce livre appartient à

_____

L'Intrépide Soldat de plomb

D'APRÈS

Hans Christian Andersen

ILLUSTRATIONS

Michael Montgomery

Mango

Adaptation Samantha Easton
Traduction Ariane Bataille
© Editions Mango 1993 pour la langue française
The Steadfast Tin Soldier copyright ⃝ 1991 by Armand Eisen
Dépôt légal mai 1996
ISBN 2 7404 0249 X

L'Intrépide Soldat
de plomb

Il était une fois vingt-cinq petits soldats de plomb qui vivaient ensemble dans une boîte en bois gravé. Ils portaient de beaux uniformes rouge et bleu, et avaient chacun un petit fusil.

Les premiers mots qu'ils entendirent furent ceux d'un petit garçon qui s'écria, en soulevant le couvercle de la boîte : "Oh ! regarde ! Des soldats de plomb !"

C'était son anniversaire, et il venait
de les recevoir en cadeau.

Ravi, il battit des mains et
disposa les soldats sur la table.
Ils étaient tous semblables, sauf un à qui il
manquait une jambe. Il avait été fabriqué en
dernier et il ne restait plus assez de plomb pour
le terminer correctement.

La table était déjà couverte d'une multitude
de jouets plus jolis les uns que les autres.

Mais assurément, le plus beau était un magnifique château en carton.

On apercevait à travers les fenêtres les petites pièces entièrement meublées. Devant le château, des arbres en papier se dressaient autour d'un petit miroir qui figurait un lac. Et sur le lac-miroir nageaient de jolis petits cygnes en cire. Mais le plus adorable de tout était une minuscule danseuse en papier.

Vêtue d'une robe de tulle blanc, elle portait un ruban bleu, drapé autour de ses épaules à la manière d'un châle. Ce ruban était maintenu en place par une ravissante broche d'argent de la taille de son visage.

Elle tendait gracieusement les bras en avant et tenait une de ses jambes si haut levée derrière elle que le petit soldat, qui ne pouvait pas l'apercevoir, s'imagina que la danseuse n'avait comme lui qu'une seule jambe.

"Tout comme moi, pensa-t-il. Comme elle est belle ! Malheureusement, c'est une trop grande demoiselle.

Elle vit dans un château et moi dans une boîte en bois que je partage avec vingt-quatre frères !"

Il se cacha derrière une tabatière pour pouvoir l'observer à son aise.

Le soir arriva. Le petit garçon rangea tous ses
nouveaux jouets à leur place et remit les petits
soldats de plomb dans leur boîte. Les lumières
s'éteignirent et, quelques instants plus tard, toute
la maisonnée dormait à poings fermés. Alors,
les jouets revinrent à la vie et commencèrent
à s'amuser. Ils parlaient les uns avec les autres,
faisaient des rondes et des farandoles. Les poupées
valsaient avec grâce et légèreté pendant que les
ours en peluche jouaient à saute-mouton. Les
crayons de couleur se poursuivaient sur les feuilles
de papier à
dessin.

Et le coucou qui les surplombait du haut de
sa maison chantait pour les accompagner.

A leur tour, les soldats de plomb secouèrent
le couvercle de leur boîte pour se joindre à la
fête. Seuls le petit soldat de plomb et la
danseuse en papier restaient immobiles. Elle se
tenait toujours à la porte du château, aussi raide
que lui sur sa jambe unique.

Il la regardait, elle le regardait aussi,
mais aucun son ne sortait de leur bouche.

Quand minuit sonna, le couvercle de la tabatière s'ouvrit d'un coup et un petit lutin rouge en surgit.

"Soldat de plomb ! gronda le lutin, je te conseille de ne pas laisser traîner tes yeux n'importe où ! "

Mais le soldat de plomb fit semblant de ne pas entendre. Le lutin lui dit alors d'un air mauvais : "Très bien. Je m'occuperai de toi demain", ricana-t-il, et il disparut dans la tabatière.

Très tôt le lendemain matin, le petit garçon entra en courant dans la pièce avec son frère.

Ils prirent le petit soldat de plomb pour l'installer sur le rebord de la fenêtre.

Etait-ce ou non une mauvaise plaisanterie du lutin rouge ? Mais soudain, un violent coup de vent balaya la pièce et interrompit le cours des pensées du petit soldat de plomb.

Celui-ci tomba, tomba, trois étages plus bas, dans la rue. La chute fut terrible : il atterrit la tête la première, son fusil coincé entre deux pavés, la jambe en l'air. Les enfants se précipitèrent dehors pour le retrouver, mais en vain.

L'après-midi, la pluie se mit à tomber, une pluie drue et dense qui remplit bientôt les caniveaux. Quand l'averse fut terminée, deux garçons qui étaient sortis pour jouer le découvrirent.

"Oh ! un soldat de plomb! Si on lui fabriquait un bateau ?" Ce qu'ils firent aussitôt avec un vieux journal.

Le soldat de plomb commença à dévaler la rue. Comme le bateau de papier avançait vite ! Comme l'eau semblait profonde ! Le petit soldat sentait la peur le gagner mais, très bravement, il continua à se tenir droit, son fusil calé contre son épaule.

Soudain, le petit bateau de papier fut aspiré dans une bouche d'égout et s'enfonça dans un tunnel sombre. " Comme il fait noir ici ! pensa le petit soldat. Je me demande bien où je suis.

C'est la faute de ce maudit lutin. Si seulement la petite danseuse était là. Je m'en ficherais bien du noir !"

A ce moment-là, un gros rat d'égout aborda le bateau : "Passeport ! siffla-t-il entre ses dents. Tout de suite !" Le petit soldat ne répondit rien mais serra un peu plus fort son fusil calé contre son épaule. Le rat d'égout grinça des dents et hurla de toutes ses forces : "Arrêtez-le ! Arrêtez-le ! Il voyage sans passeport ! "

Mais le petit bateau de papier fut vite emporté par le courant.

Le soldat de plomb aperçut bientôt une lumière devant lui. Et à mesure qu'il s'en approchait, il entendait de plus en plus distinctement un terrible grondement. Il y avait de quoi effrayer le plus brave parmi les braves. L'eau du tunnel se déversait dans un canal. Pour un soldat de plomb, ce plongeon était aussi dangereux qu'une énorme chute d'eau

pour un humain. Le petit soldat de plomb était
terrifié mais il continua à se tenir bien droit,
le fusil calé contre l'épaule.

Le bateau de papier bascula dans le canal.
Il tourna sur lui-même, tourbillonna, puis
commença à se remplir d'eau. Le petit soldat,
incapable de faire un seul mouvement, pensa à la
jolie petite danseuse qu'il ne reverrait plus
jamais. Puis il se rappela les paroles d'un chant
militaire :

Adieu, soldat loyal et courageux.
En route pour une sépulture sombre et glacée !

Finalement, le bateau de papier se désintégra
dans l'eau et le petit soldat de plomb coula.

A ce moment-là, un gros poisson qui passait justement l'avala. Comme il faisait noir dans le ventre du poisson !

Encore plus noir que dans le tunnel. Mais le soldat de plomb se tenait toujours bien droit, le fusil calé contre son épaule.

Le poisson se mit à faire des bonds dans tous les sens, puis finit par se calmer tout à fait. C'est alors qu'un éclair de lumière sembla le traverser et le petit soldat se trouva projeté à l'air libre.

"Ça alors !" s'écria une voix.

En effet, le poisson avait été pêché puis

vendu sur le
marché. La cliente
l'avait acheté, emporté
dans sa cuisine et venait de lui ouvrir le ventre
avec un gros couteau.

Elle saisit le petit soldat de plomb entre deux
doigts et alla montrer à toute la famille
l'étonnant objet qui avait fait un si long voyage
dans le ventre d'un poisson.

Quand elle le posa sur la table, tout le monde

sauta de joie. Le petit soldat de plomb regarda autour de lui, très étonné : il était revenu à son point de départ.

Il y avait là le petit garçon, les ours en peluche et ses vingt-quatre frères en plomb.

La petite danseuse aussi était là, à un bout de la table, dans son château en carton; elle se tenait toujours debout sur une seule jambe car elle avait autant de constance que lui. Quand il l'aperçut, il fut si ému qu'il en aurait pleuré. Mais, bien sûr, il ne le pouvait pas. Il se contenta de la regarder. Et elle le regarda, et aucun d'eux ne parla.

C'est alors que le petit garçon le saisit
et le jeta dans le feu. C'était sûrement une sale
blague du petit lutin rouge, car pourquoi le
petit garçon aurait-il fait une chose pareille ?

Les flammes voltigeaient autour du petit
soldat de plomb.

La chaleur était insupportable, mais était-ce
la chaleur du feu ou celle de ses sentiments
pour la petite danseuse ? Il n'aurait pas pu le
dire. Les couleurs vives s'effacèrent de son
uniforme, peut-être en signe de douleur.

Il regardait la petite danseuse qui le regardait aussi. Il se sentait fondre, mais il restait toujours aussi droit, car c'était un soldat loyal et courageux.

Soudain, la porte s'ouvrit toute grande et un coup de vent fit s'envoler la petite danseuse. Elle voltigea à travers le pièce avant de retomber dans le feu, juste à côté du petit soldat de plomb.

Les flammes l'enveloppèrent et elle disparut en une seconde. A côté d'elle, le petit soldat de plomb fondait lentement dans une masse informe de couleur grise.

Le lendemain matin, quand la bonne vint enlever les cendres de la cheminée, elle trouva un petit cœur en plomb. De la petite danseuse ne restait qu'une broche aussi noire que du charbon.